LONDON BOROUGH OF ENFIELD
LIBRARY SERVICES

This book to be RETURNED on or before the latest date stamped
unless a renewal has been obtained by personal call or post,
quoting the above number and the date due for return.

Bengali translation by Sibani Raychaudhuri

First published 1988 by André Deutsch Ltd.,
105 Great Russell Street, London WC1B 3LJ
Copyright © Jennie Ingham Associates Ltd. 1988

Bengali translation by Sibani Raychaudhuri
Bengali translation checked by Gayatri Chakrabarti

ISBN 0 233 98222 1

Printed in Great Britain by Cambus Litho, East Kilbride

Ramu and the Tiger

রামু আর বাঘ

Told by Susheila Stone
Illustrated by Mikel Horl
Editor: Jennie Ingham

André Deutsch with Jennie Ingham Associates Ltd.

A long time ago, in a forest in India, there lived a fierce tiger. He was very fierce indeed.

One day, it began to rain. First a few drops fell, then more and more, and soon the rain was pouring down heavily.

The fierce tiger was very frightened. He didn't like the thunder and the lightning.

So he ran as fast as he could. He wanted to get away from the rain.

অনেকদিন আগে ভারতের এক জঙ্গলে একটা ভয়ংকর বাঘ বাস করত। বাঘটা ছিল সত্যি ভীষণ ভয়ংকর।

একদিন বৃষ্টি পড়তে শুরু হল। প্রথমে কয়েক ফোঁটা বৃষ্টি পড়ল, তারপর আরো পড়ল, আর কিছুক্ষণের মধ্যেই মুষলধারে বৃষ্টি হতে লাগল।

ভয়ংকর বাঘটা খুব ভয় পেল। তার মেঘের ডাক আর বিদ্যুৎ চমকানি ভাল লাগল না।

তাই সে যত জোরে পারল ছুটতে লাগল। সে বৃষ্টির হাত থেকে বাঁচতে চাইল।

He came out of the forest and found himself in a little village. There was no one about.

He crept quietly towards a house. The verandah was dry, so he lay down to shelter from the rain.

সে জঙ্গল থেকে বেরিয়ে এসে একটা ছোট গ্রামে পৌঁছল। সেখানে কোন লোকজন ছিল না।

চুপি চুপি হামাগুড়ি দিয়ে সে একটা বাড়ীর দিকে এগোল। বারান্দাটা শুকনো, তাই বৃষ্টির হাত থেকে রেহাই পাবার জন্য সেখানেই শুয়ে পড়ল।

The fierce tiger soon fell asleep.

ভয়ংকর বাঘটা একটু পরেই ঘুমিয়ে পড়ল।

Suddenly he was woken up by loud screaming. The tiger sat up and listened.

He could hear an old woman shouting at her husband inside the house. The rain was coming in through the big holes in the roof and all her saris and her husband's dhotis were getting wet.

হঠাৎ একটা জোরাল চিৎকারে তার ঘুম ভেঙে গেল। বাঘটা খাড়া হয়ে বসে শুনবার চেষ্টা করল।

শুনতে পেল বাড়ীর ভিতরে এক বুড়ী তার স্বামীকে বকছে। ছাদের বড় বড় ফুটো দিয়ে বৃষ্টির জল পড়ে তার নিজের শাড়ী ও তার স্বামীর ধুতি সব ভিজে যাচ্ছে।

"This tup-tup is driving me mad. It's peaceful for a few days and then the tup-tup gets me again."

The tup-tup sound of the rain beating on the roof was getting louder all the time.

"এই টুপ–টুপ শব্দ আমার মাথা খারাপ করে দিচ্ছে। কয়েকদিন বেশ শান্ত থাকে, তারপর আবার এই টুপটুপের পাল্লায় পড়ি।"

ছাদের ওপর বৃষ্টির টুপ–টুপ শব্দ কেবল বেড়েই চলল।

The fierce tiger had never seen or heard of a Tup-Tup, and, because the old woman was screaming, he thought Tup-Tup was a great big monster.

He could hear the sound of pots and pans, beds and stools being moved about.

''Tup-Tup sounds very angry,'' he thought, and he shook with fear.

ভয়ংকর বাঘটা কোনদিন টুপ–টুপ দেখেও নি, বা শোনেও নি। আর বুড়ীটা চিৎকার করছিল বলে সে ভাবল টুপ–টুপ বুঝি একটা বিশাল দানব।

শুনতে পেল হাঁড়ি–কড়াই, বিছানা–চৌকি সব সরানো হচ্ছে।

ও ভাবল, "টুপ–টুপ বুঝি খুব রেগে গেছে," আর একথা ভেবে ভয়ে কাঁপতে লাগল।

He wanted to run away from there, but a man suddenly came out of the house in the dark. Ramu had lost his donkey and was looking for it.

When he saw the shape of an animal on the dark verandah, he thought it was his donkey.

He kicked it hard and shouted. "You lazy beast! Where have you been?"

সেখান থেকে দৌড়ে পালাতে চাইল, কিন্তু হঠাৎ একটা লোক বাড়ী থেকে অন্ধকারে বেরিয়ে এল। রামুর গাধাটা হারিয়ে গিয়েছিল বলে সে খুঁজতে বেরিয়েছিল।

অন্ধকার বারান্দায় যখন সে জন্তুর মত কিছু একটা দেখল, সে ভাবল এটাই তার গাধা।

সে জন্তুটাকে জোরে লাথি মেরে চেঁচিয়ে উঠল, "আল্‌সে জন্তু কোথাকার! কোথায় ছিলি এতক্ষণ?"

And he jumped on the tiger's back and hit him harder.

The tiger had never been treated like this before. This surely must be Tup-Tup, the monster.

So he kept very quite as the man rode him down the lane and back to the house again. Ramu jumped off and tied the tiger to a post on the verandah.

All night the fierce tiger lay shivering with fear.

সে বাঘের পিঠে লাফিয়ে উঠল আর বাঘটাকেও জোরে মারল।

বাঘটা এর আগে কোনদিন এইরকম ব্যবহার পায় নি। ভাবল এটাই নিশ্চয় সেই টুপ-টুপ দানব।

সে চুপ করে রইল, লোকটা তার পিঠে চড়ে গলি দিয়ে ঘুরে বাড়ী ফিরে এল। রামু লাফিয়ে নেমে বাঘটাকে বারান্দার একটা খুঁটিতে বেঁধে রাখল।

ভয়ংকর বাঘটা সারারাত ভয়ে কাঁপতে লাগল।

The next morning, as the sun rose, the man's wife came out of the house.

When she saw the tiger, she let out a loud scream.

পর দিন সকালে, সূর্য্য ওঠার সঙেগ সঙেগ লোকটার স্ত্রী ঘর থেকে বেরিয়ে এল।

সে বাঘটা দেখামাত্রই জোরে চিৎকার করে উঠল।

She ran into the house and said to her husband, "What is a tiger doing on our verandah? And he is tied to a post!"

"A tiger!" said Ramu in surprise. "That's not a tiger. That's my donkey. Are you feeling all right?"

"Go and see for yourself," said his wife, still trembling. So Ramu wrapped a shawl round his shoulders and stepped out.

সে দৌড়ে ঘরের মধ্যে গিয়ে তার স্বামীকে বলল, "আমাদের বারান্দায় বাঘ কি করছে? বাঘটা আবার খুঁটিতে বাঁধা!"

রামু অবাক হয়ে বলল, "বাঘ! ওটা বাঘ হবে কেমন করে। ওটা আমার গাধা। তোমার শরীর ঠিক আছে তো?"

ওর স্ত্রী তখনও ভয়ে কাঁপছিল, বলল, "নিজের চোখে দেখে এস।" তাই রামু কাঁধে একটা চাদর জড়িয়ে বাইরে বেরিয়ে এল।

When he saw the tiger, he ran as fast as his legs could carry him.

যখন সে বাঘটা দেখতে পেল, যত তাড়াতাড়ি পারে সে ছুটল।

In fact, he didn't come back until someone said to him, ''Are you the man who rode on a tiger? You must be brave. The King is coming to see you.''

Now, when Ramu heard this, he went back to his house and pretended he wasn't at all afraid of the tiger.

অসলে সে ফিরেই আসে নি যতক্ষণ না একজন বলল, "তুমি কি সেই লোক যে বাঘের পিঠে চড়েছিল? তুমি খুব সাহসী। রাজামশাই তোমাকে দেখতে আসছেন।"

যখন রামু একথা শুনল, সে বাড়ী ফিরে এল আর এমন ভাব করতে লাগল যেন সে বাঘকে একটুও ভয় পায় না।

But he kept well away from it.

কিন্তু সে বাঘের থেকে দূরে রইল।

A few days later, an army of soldiers from another state came to kill the King.

The King thought, ''If only I could get the help of the brave man who rode the tiger.''

And he sent a message to Ramu asking for his help.

এর কয়েকদিন পরে, রাজাকে মারার জন্য অন্য দেশের অনেক সৈন্যসামন্ত এসে হাজির হল।

রাজা ভাবলেন, "যে বীরপুরুষটা বাঘের পিঠে চড়েছিল আমি তার সাহায্য চাই।"

আর তিনি সাহায্য চেয়ে লোকটাকে খবর পাঠালেন।

Ramu's wife was very pleased, but her husband was terrified. The King sent a special horse for him.

"Now I've had it," he cried. "I've never even sat on a horse before, never mind having to fight enemy soldiers on one!! And just see how this one is staring at me."

He hid behind his wife.

She pushed him in front.

রামুর স্ত্রী খুব খুশী হল, কিন্তু তার স্বামী ভীষণ ভয় পেল। রাজা তার জন্য একটা বিশেষ ঘোড়াও পাঠিয়েছিলেন।

সে কেঁদে বলল, "এবার আমি গেছি। আমি আগে কোনদিন ঘোড়ায় চড়ি নি, আর ঘোড়ায় চড়ে সৈন্যদের সঙ্গে যুদ্ধ করার কথা ছেড়ে দাও!! আর দেখ এটা কেমন আমার দিকে তাকিয়ে আছে।"

স্ত্রীর পেছনে সে লুকাল।

সে তাকে সামনে ঠেলে দিল।

''Don't be silly,'' she said. ''Just jump on him.''

So Ramu jumped high and landed on his face. Then he jumped again and fell on the other side of the horse. He got up and ran away.

His wife chased him and brought him back. ''Try again, you coward!'' she shouted.

সে বলল, "বোকামি কর না, ঘোড়াটায় একটু লাফিয়ে ওঠ।"

তাই রামু উঁচুতে লাফাল কিন্তু মুখ থুবড়ে পড়ল। তারপর সে আবার লাফাল আর ঘোড়াটার অন্যদিকে পড়ল। তারপর সে উঠে দাঁড়াল আর পালিয়ে গেল।

ওর স্ত্রী ওর পিছনে ছুটে ওকে ফিরিয়ে আনল। স্ত্রী চেঁচিয়ে বল্‌ল, "কাপুরুষ কোথাকার, আবার চেষ্টা কর!"

So Ramu jumped once more and this time he landed on the horse's back, but he was facing the tail end.

After falling off several times and getting tangled up with the horse's tail and the reins, Ramu jumped once more and, at last, he landed correctly.

''Tie me to the horse quickly,'' he shouted, ''or I shall fall off!''

তাই রামু আর একবার লাফাল আর এইবার সে ঘোড়ার পিঠে নেমে বসল, কিন্তু ঘোড়ার লেজের দিকে মুখ করে বসল।

ঘোড়ার পিঠ থেকে কয়েকবার পড়ে যাবার পর, আর কখনও ঘোড়ার লেজে বা কখনও লাগামে জড়িয়ে পড়ার পর, রামু আবার একবার লাফ দিয়ে শেষে ঘোড়ার পিঠে ঠিকমত গিয়ে পড়ল।

সে চেঁচিয়ে উঠল, "তাড়াতাড়ি ঘোড়ার সঙ্গে বাঁধ আমাকে, নইলে আমি পড়ে যাব!"

His wife rushed up with the rope from the well. She tied Ramu to the horse. The rope went round his waist, his arms and his legs, and it went under the horse and was fastened to its tail.

The horse was getting very nervous by now and began to run. Away it went, through the narrow village lanes, over farms and across fields. Then, to his horror, Ramu found the horse heading straight for the enemy's capital city.

স্ত্রী দৌড়ে কুয়ো থেকে দড়ি নিয়ে এল। সে রামুকে ঘোড়ার সঙ্গে বাঁধল। দড়িটা ওর কোমর, হাত, পা জড়িয়ে ঘোড়ার পেটের তলা দিয়ে গিয়ে লেজের সঙ্গে বাঁধা হল।

ঘোড়াটা এতক্ষণে খুব ঘাবড়ে গিয়ে দৌড়তে শুরু করল। ও সোজা গ্রামের অলিগলি দিয়ে ক্ষেত-খামার-মাঠ পার হয়ে ছুটতে লাগল। রামু দেখল যে ঘোড়াটা সোজা শত্রুদের রাজধানীর দিকে ছুটে চলেছে।

"I'm not going there!" he shouted. "Do you hear me? I'm not going to be killed!"

But the horse went faster and faster. To keep from falling off, the man clung to the branch of a tree as they passed under it.

"আমি ওখানে যাব না!" ও চেঁচিয়ে বলল। "শুনতে পাচ্ছ? আমি মারা পড়তে চাই না!"

কিন্তু ঘোড়াটা জোরে জোরে ছুটে চলল। পড়ে না যাবার জন্য লোকটা যে গাছের তলা দিয়ে ঘোড়াটা ছুটে যাচ্ছিল, সেই গাছের একটা ডাল সে আঁকড়ে ধরল।

But the tree came up in his hand. And there he was,
brandishing the tree as the horse galloped away.

কিন্তু সমস্ত গাছটাই তার হাতে চলে এল। এদিকে ঘোড়াটা
উর্ধ্বশ্বাসে ছুটে চলেছে, আর গাছটা রামুর হাতে এপাশ ওপাশ
দুলছে।

Soon he came to the enemy village.

When the soldiers saw him with the tree in his hand, they yelled, ''There's the brave man who rode the tiger! And look how strong he is! He has uprooted a tree!''

They did not want to be killed by him, so they fled in fear, and never came back again.

কিছুক্ষণের মধ্যেই তারা শত্রুদের গ্রামে পৌঁছল।

সৈন্যরা যখন দেখতে পেল রামুর হাতে একটা গাছ, তারা চেঁচিয়ে উঠল, "এই সেই বীরপুরুষ যে বাঘের পিঠে চড়েছিল! আর দেখ লোকটা কত বলবান! আস্ত একটা গাছ উপড়ে ফেলেছে!"

সৈন্যরা ওর হাতে মারা পড়তে চায় নি, তাই তারা ভয়ে পালিয়ে গেল, আর কোনদিন ফিরে এল না।

In the meantime, the horse suddenly stopped. The rope snapped and the man fell off.

He wasn't going to ride the horse again, so, leading it by the bridle, he walked wearily back to his village.

ইতিমধ্যে, ঘোড়াটা হঠাৎ থম্‌কে দাঁড়াল। দড়িটা ছিঁড়ে গেল আর রামু পড়ে গেল।

ঘোড়ায় চড়ার ইচ্ছে তার আর ছিল না, তাই, কলান্ত দেহে ঘোড়ার লাগাম ধরে সে গ্রামের দিকে হাঁটা শুরু করল।

The people cheered happily when they saw him.

''He is not even riding home like a brave warrior. He is so humble. He drove the enemy away all by himself.''

Ramu smiled as they carried him through the streets on their shoulders.

লোকেরা তাকে দেখে উল্লাসে চিৎকার করে উঠল।

"বীর যোদ্ধার মত ঘোড়ায় চড়ে ঘরে ফিরছে না। লোকটা কি বিনয়ী। একাই সে শত্রুসৈন্য হটিয়ে দিয়েছে।"

যখন তারা ঘাড়ে চড়িয়ে রামুকে পথে পথে ঘুরিয়ে আনল, রামু শুধু হাসল।

GLOSSARY

dhoti   a loose garment worn by Indian men and consisting of a single piece of material draped around the lower half of the body

sari   a traditional dress worn by Indian women consisting of a long piece of material draped around the entire body